Les claviers

Faustine & les ogres et les instruments de musique

Écrit par Leigh Sauerwein
Illustré par Georg Hallensleben
Musique de Eric Tanguy
Instruments de musique illustrés
par Pierre-Marie Valat
Réalisé par Gallimard Jeunesse
avec le soutien du
conservatoire national de région
de Boulogne-Billancourt

GALLIMARD ♫ MES PREMIÈRES DÉCOUVERTES DE LA MUSIQUE

Il était une fois une famille d'ogres, tous frères, qui vivaient dans une grotte, loin, loin, au sommet d'une montagne rocailleuse, avec leurs grands chevaux sauvages.
Ils s'appelaient l'Ecornifleur, Grandgoulu, Barbefrisée et Gamin.

Quand les ogres avaient faim,
ils dévalaient la montagne
sur leurs terribles chevaux.
Alors, les gens du village s'enfuyaient en criant
Car si les ogres rencontraient quelqu'un
sur leur passage, ils l'emportaient et
on n'entendait plus jamais parler de lui.

Le clavecin

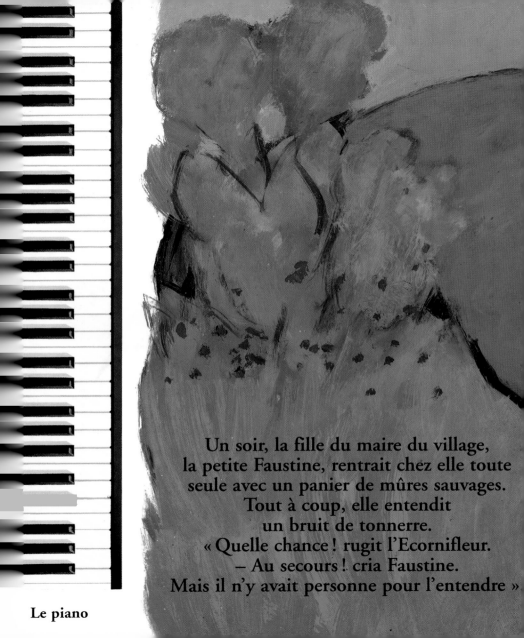

Un soir, la fille du maire du village,
la petite Faustine, rentrait chez elle toute
seule avec un panier de mûres sauvages.
Tout à coup, elle entendit
un bruit de tonnerre.
« Quelle chance ! rugit l'Ecornifleur.
– Au secours ! cria Faustine.
Mais il n'y avait personne pour l'entendre »

Le piano

Les ogres firent
cercle autour de Faustine
en chantant : « Miam, Miam, Miam !
Miam, Miam, Miam, Miam, Miam ! »
Tous, sauf un. Gamin, le plus jeune, ne chantait pas.
« Comme elle est belle ! » se disait-il tout bas.
Et il avait mal, là,
quelque part du côté du cœur.
« Ça y est ! La marmite est prête ! »
cria Grandgoulu.

D'un bond, Gamin attrapa Faustine
par le bras et s'enfuit avec elle !
« Je t'en supplie, ne me mange pas ! sanglotait-elle.
Je t'en prie, ramène-moi à la maison.
— Je ferai n'importe quoi pour toi », dit Gamin.
Il sentait son cœur s'envoler comme un oiseau.

Le célesta

Le vibraphone

Quand elle vit sa petite fille,
la mère de Faustine poussa un cri : « Mon enfant ! »
Mais lorsqu'elle vit Gamin, elle se mit à hurler.
Les hommes du village se saisirent
du petit ogre et le jetèrent dans une cage de fer.
« Mais il m'a sauvé la vie ! pleurait Faustine.
– Il va grandir et devenir un ogre comme ses frères,
tonna le maire. Il sera exécuté
demain matin ! »

Faustine regardait Gamin depuis la fenêtre
de sa chambre, il était à genoux dans la cage.
Elle se sentit tout émue.
Alors, elle se glissa hors de la maison.
« Tiens, tu dois avoir faim », chuchota-t-elle.
Et elle lui tendit un panier de gâteaux.
« Merci, dit Gamin. Je n'ai jamais
rien mangé d'aussi bon ! »

Le glockenspiel

Le lendemain matin, tout le village était en armes.
La porte de la cage de fer était grande ouverte.
Le petit ogre s'était évadé !
Mais le lit de Faustine aussi était vide
et il n'y avait plus un gramme de
nourriture dans le garde-manger.

L'orgue

Ce matin-là, dans la grotte
Faustine et Gamin distribuaient aux ogres
des gâteaux, des flans, des rôtis, des fruits confits.
« Miam , miam ! » disait l'Ecornifleur.
– Miam, miam, miam ! chantaient Grandgoulu et Barbefrisé
Tous les ogres souriaient.
– Mais je vais vous apprendre à cuisiner ! » s'exclama Faustine

Et depuis ce jour-là,
les gens viennent de vallées lointaines
juste pour dîner au célèbre "Restaurant des ogres".
Les soirs d'été, Faustine part à cheval
dans la forêt avec Gamin.
Et ils restent tous les deux à écouter
le bruissement des feuilles.

Le célesta

C'est une sorte de piano,
avec un clavier, dont les cord
à l'intérieur sont remplacée
par des lames métalliques.
Il a un son d'une grande pure
un son ***céleste***.

Le clavecin

Il a un ou deux claviers.
Quand on appuie sur
une touche, la corde qui est
à l'intérieur n'est pas frappé
comme pour le piano
mais pincée, comme si
on la grattait avec l'ongle.

Le piano

Il a un grand clavier à dents
blanches et noires, les ***touche***
De petits marteaux de feutr
frappent les cordes métalliqu
cachées dans son ventre.

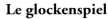

Le glockenspiel

C'est un jeu de cloches
à lamelles de métal disposées
en deux rangées, comme deux claviers.
On les frappe avec des baguettes très
dures qui donnent des sons brillants.

Le vibraphone

Il ressemble
à un grand glockenspiel
et on en joue aussi
avec des baguettes.
Mais il est électrifié et sous
chaque lamelle est fixé un tube
qui fait résonner et *vibrer* le son.
On l'utilise beaucoup dans le jazz.

L'orgue

Il a trois claviers dont un se joue
avec les pieds. Lorsqu'on presse
une touche, de l'air vient
dans un tuyau
et produit un son.
Plus le tuyau est long,
plus la note est grave.
Plus le tuyau est court,
plus la note est aiguë.

Mes premières découvertes

LES COLLECTIONS GALLIMARD JEUNESSE
MUSIQUE

LES IMAGIERS
(tout-petits)

Mon imagier sonore
Mon imagier amusettes
Mon imagier des rondes
Mon imagier des animaux sauvages
L'imagier de ma journée

COCO LE OUISTITI
(dès 18 mois)

Coco et le poisson Ploc
Coco et les bulles de savon
Coco et la confiture
Coco lave son linge
Coco et les pompiers

MES PREMIÈRES DÉCOUVERTES DE LA MUSIQUE
(3 à 6 ans)

Barnabé et les bruits de la vie
Charlie et le jazz
Faustine et les claviers
Fifi et les voix
Léo, Marie et l'orchestre
Loulou et l'électroacoustique
Max et le rock
Momo et les cordes
Petit Singe et les percussions
Tim et Tom et les instruments à vent
Tom'bé et le rap
Timbélélé et la musique africaine

MUSIQUE ET LANGUES
(3 à 6 ans)

Billy and Rose

DÉCOUVERTE DES MUSICIENS
(6 à 10 ans)

Jean-Sébastien Bach
Ludwig van Beethoven
Hector Berlioz
Frédéric Chopin
Claude Debussy
Georg Friedrich Hændel
Wolfgang Amadeus Mozart
Henry Purcell
Franz Schubert
Antonio Vivaldi

GRAND RÉPERTOIRE
(8 à 12 ans)

Douce et Barbe Bleue
La Flûte enchantée

MUSIQUES D'AILLEURS
(8 à 12 ans)

Antòn et la musique cubaine
Bama et le blues
Brendan et les musiques celtiques
Djenia et le raï
Jimmy et le reggae
Tchavo et la musique tzigane

MUSIQUES DE TOUS LES TEMPS
(8 à 12 ans)

La musique au temps des chevaliers
La musique au temps du Roi-Soleil
La musique au temps de la préhistoire

CARNETS DE DANSE
(8 à 12 ans)

La danse classique
La danse hip-hop
La danse jazz
La danse moderne

HORS SÉRIE
(pour tous)

L'Alphabet des grands musiciens
L'Alphabet des musiques de films
L'Alphabet du Jazz
Les Berceuses des grands musiciens
Les Berceuses du monde entier (vol. 1)
Les Berceuses du monde entier (vol. 2)
La Bible en musique
Chansons d'enfants du monde entier
Chansons de France (vol. 1)
Chansons de France (vol. 2)
Musiques à faire peur
La Mythologie en musique
Poésies, comptines et chansons pour le soir
Poésies, comptines et chansons pour tous les jours

FAUSTINE ET LES OGRES

Responsable éditoriale :
Paule du Bouchet
Graphisme :
Concé Forgia
Conseillère pédagogique de cet ouvrage :
Henriette Canac

ISBN : 2-07-059562-5
© Editions Gallimard Jeunesse, 1996
Premier dépôt légal : octobre 1996
Dépôt légal : août 2005
Numéro d'édition : 138738
Imprimé en Italie par Editoriale Lloyd
Loi n° 49-956 du 16 juillet 1949
sur les publications destinées à la jeunesse